中国工程建设协会标准

铜包铝电力电缆工程技术规范

Technical code for copper-clad aluminum power cables engineering

CECS 399∶2015

主编单位：中国建筑标准设计研究院有限公司
　　　　　上海胜华电气股份有限公司
批准单位：中国工程建设标准化协会
施行日期：２０１５年８月１日

中国计划出版社

2015　北　　京

中国工程建设协会标准
铜包铝电力电缆工程技术规范
CECS 399：2015

☆

中国计划出版社出版

网址：www.jhpress.com

地址：北京市西城区木樨地北里甲 11 号国宏大厦 C 座 3 层

邮政编码：100038　电话：(010)63906433(发行部)

新华书店北京发行所发行

廊坊市海涛印刷有限公司印刷

850mm×1168mm　1/32　1.625 印张　39 千字　2 插页

2015 年 7 月第 1 版　2015 年 7 月第 1 次印刷

印数 1—3080 册

☆

统一书号：1580242·701

定价：22.00 元

版权所有　侵权必究

侵权举报电话：(010)63906404

如有印装质量问题，请寄本社出版部调换

中国工程建设标准化协会公告

第 199 号

关于发布《铜包铝电力电缆工程技术规范》的公告

根据中国工程建设标准化协会《关于印发〈2013年第一批工程建设协会标准制订、修订计划〉的通知》（建标协字〔2013〕057号）的要求，由中国建筑标准设计研究院有限公司、上海胜华电气股份有限公司等单位编制的《铜包铝电力电缆工程技术规范》，经本协会建筑与市政工程产品应用分会组织审查，现批准发布，编号为 CECS 399：2015，自 2015 年 8 月 1 日起施行。

中国工程建设标准化协会
二〇一五年四月二十三日

前　言

根据中国工程建设标准化协会《关于印发〈2013年第一批工程建设协会标准制订、修订计划〉的通知》（建标协字〔2013〕057号）的要求，本规范在编制过程中，认真总结了近年来铜包铝电缆应用实践经验，并在广泛征求有关科研、生产、设计、施工等单位意见的基础上，制定本规范。

本规范共分6章和3个附录，主要技术内容包括：总则、术语、电缆及附件、工程设计、施工安装及验收等。

本规范由中国工程建设标准化协会建筑与市政工程产品应用分会归口管理，由中国建筑标准设计研究院有限公司负责解释。在执行过程中如有意见或建议，请将有关资料寄送解释单位（地址：北京市海淀区首体南路9号主语国际2号楼，邮政编码：100048，传真：010-88356385）。

主编单位：中国建筑标准设计研究院有限公司
　　　　　　上海胜华电气股份有限公司
参编单位：成都康达电缆有限公司
　　　　　　中国建筑西南设计研究院有限公司
　　　　　　中国建筑东北设计研究院有限公司
　　　　　　中国建筑西北设计研究院有限公司
　　　　　　国家电线电缆质量监督检验中心
　　　　　　昆明市建筑设计研究院有限责任公司
主要起草人：刘银玲　汤　威　董国民　王金元　杨德才
　　　　　　　杜毅威　吴长顺　席　伟　陈三建　刘周生
　　　　　　　冯云力　胡泽祥
主要审查人：田有连　李道本　李雪佩　孙　兰　徐　华
　　　　　　　李俊民　熊　江

目　次

1 总　　则 …………………………………………………… （1）
2 术　　语 …………………………………………………… （2）
3 电力电缆及附件 …………………………………………… （3）
　3.1 一般规定 ……………………………………………… （3）
　3.2 技术要求 ……………………………………………… （4）
　3.3 电力电缆附件 ………………………………………… （7）
4 工程设计 …………………………………………………… （8）
　4.1 一般规定 ……………………………………………… （8）
　4.2 电力电缆绝缘和护层类型选择 ……………………… （9）
　4.3 电力电缆芯数的选择 ………………………………… （10）
　4.4 电力电缆导体截面的选择 …………………………… （11）
5 施工安装 …………………………………………………… （13）
　5.1 一般规定 ……………………………………………… （13）
　5.2 电力电缆敷设 ………………………………………… （14）
　5.3 电力电缆的接头和终端头 …………………………… （15）
6 验　　收 …………………………………………………… （16）
附录 A 铜包铝电力电缆近似外径 ………………………… （插页）
附录 B 铜包铝电力电缆线路的电压损失 ………………… （19）
附录 C 敷设条件不同时铜包铝电力电缆允许持续载
　　　　流量及校正系数 ………………………………… （25）
本规范用词说明 ……………………………………………… （33）
引用标准名录 ………………………………………………… （34）
附：条文说明 ………………………………………………… （35）

Contents

1 General provisions .... (1)
2 Terms .... (2)
3 Cables and accessories .... (3)
   3.1 General requirements .... (3)
   3.2 Technical requirements .... (4)
   3.3 Cable accessories .... (7)
4 Engineering design .... (8)
   4.1 General requirements .... (8)
   4.2 Cable sheath type selection .... (9)
   4.3 Cable core number selection .... (10)
   4.4 Cable section selection .... (11)
5 Construction and installation .... (13)
   5.1 General requirements .... (13)
   5.2 Aluminum cable laying .... (14)
   5.3 Cable joint and terminal .... (15)
6 Acceptance .... (16)
Appendix A Approximate outer diameter .... (foldout)
Appendix B Cable line voltage loss .... (19)
Appendix C Under the condition of different laying cable allows continuous load flow and the correction coefficient .... (25)
Explanation of wording in this code .... (33)
List of quoted standards .... (34)
Addition: Explanation of provisions .... (35)

1 总　　则

1.0.1 为保证额定电压 0.6/1kV 及以下铜包铝电力电缆在工程设计、施工安装及验收过程中做到技术先进、经济合理、安全适用、便于施工和维护、确保质量，制定本规范。

1.0.2 本规范适用于一般工业与民用建筑中额定电压 0.6/1kV 及以下供配电线路固定安装用铜包铝电力电缆及附件工程的设计、施工安装及验收。

1.0.3 工程中选用的铜包铝电力电缆及附件产品，应通过国家认可的质量检测机构检测与认证。

1.0.4 铜包铝电力电缆及附件的工程设计、施工安装及验收，除应符合本规范的规定外，尚应符合国家现行有关标准的规定。

2 术　　语

2.0.1　铜包铝复合材料　　copper-clad aluminium composite material

将铜层均匀而同心地包覆在铝芯线上，并使两者界面上的铜和铝原子实现冶金结合而产生的铜包铝材料。

2.0.2　铜包铝电力电缆　　copper-clad aluminium power cables

以铜包铝复合材料为导体的电力电缆。

2.0.3　金属联锁铠装　　metal interlock-armoured

在绝缘线芯或包有内衬层缆芯上螺旋绕包单根金属带，该金属带截面具有弧形部分和远离弧形部分向弧形部分凸出的伸出部分，该伸出部分与相邻节距的金属带弧形部分形成的扣合联锁结构的铠装层。

3 电力电缆及附件

3.1 一般规定

3.1.1 铜包铝电力电缆型号及名称应符合表3.1.1的规定：

表3.1.1 铜包铝电力电缆型号及名称

型号	名 称
VCV	铜包铝导体聚氯乙烯绝缘聚氯乙烯护套电力电缆
VCV12	铜包铝导体聚氯乙烯绝缘联锁钢带铠装聚氯乙烯护套电力电缆
VCV22	铜包铝导体聚氯乙烯绝缘钢带铠装聚氯乙烯护套电力电缆
VCV32	铜包铝导体聚氯乙烯绝缘细钢丝铠装聚氯乙烯护套电力电缆
YJCV	铜包铝导体交联聚乙烯绝缘聚氯乙烯护套电力电缆
YJCV12	铜包铝导体交联聚乙烯绝缘钢带联锁铠装聚氯乙烯护套电力电缆
YJCV22	铜包铝导体交联聚乙烯绝缘钢带铠装聚氯乙烯护套电力电缆
YJCV32	铜包铝导体交联聚乙烯绝缘细钢丝铠装聚氯乙烯护套电力电缆
YJCY	铜包铝导体交联聚乙烯绝缘聚烯烃护套电力电缆
YJCY13	铜包铝导体交联聚乙烯绝缘钢带联锁铠装聚烯烃护套电力电缆
YJCY23	铜包铝导体交联聚乙烯绝缘钢带铠装聚烯烃护套电力电缆
YJCY33	铜包铝导体交联聚乙烯绝缘细钢丝铠装聚烯烃护套电力电缆

注：1 铜包铝电力电缆导体代号为"C"；
  2 无卤低烟阻燃电缆产品的表示方法应符合现行国家标准《阻燃和耐火电线电缆通则》GB/T 19666的有关规定。

3.1.2 铜包铝电力电缆标记应符合下列规定：

  1 铜包铝导体交联聚乙烯绝缘钢带铠装聚氯乙烯护套电力电缆、额定电压为0.6/1kV、3+1芯、标称截面150mm²、中性线截面70mm²表示为：YJCV22-0.6/1 3×150+1×70；

  2 铜包铝导体交联聚乙烯绝缘钢带联锁铠装无卤低烟聚烯

烃护套B类阻燃电力电缆、额定电压0.6/1kV、4+1芯、标称截面185mm²、中性线截面185mm²、保护线截面95mm²表示为：WDZB-YJCY13-0.6/1 4×185+1×95。

3.2 技术要求

3.2.1 铜包铝电力电缆正常工作条件应符合下列规定：

1 额定电压：$U_0/U(U_m)$应为0.6/1(1.2)kV；

U_0——电缆设计用的导体对地或金属屏蔽之间的额定工频电压；

U——电缆设计用的导体间的额定工频电压；

U_m——设备可承受的最高系统电压的最大值。

2 正常运行时导体最高温度：聚氯乙烯绝缘不应超过70℃，交联聚乙烯绝缘不应超过90℃；

3 短路暂态时导体最高温度：聚氯乙烯绝缘不应超过160℃，交联聚乙烯绝缘不应超过250℃；

4 铜包铝电力电缆进行敷设时，环境温度不宜低于0℃；

5 铜包铝电力电缆安装时的最小弯曲半径应符合表3.2.1的规定。

表3.2.1 铜包铝电力电缆安装时的最小弯曲半径

项 目	单芯电缆		多芯电缆		
	无铠装	有铠装	无铠装	有铠装	金属联锁铠装
安装时的电缆最小弯曲半径	20D	15D	15D	12D	10D
靠近连接盒和终端的电缆最小弯曲半径	15D	12D	12D	10D	8D

注：D为电缆外径。

3.2.2 铜包铝电力电缆导体应符合下列规定：

1 铜包铝电力电缆导体的性能应符合国家标准《铜包铝线》GB/T 29197—2012中对型号为CCA—15A铜包铝线的规定。

2 铜包铝电力电缆导体截面不应小于16mm²，每根导体

20℃时的电阻值不应超过表3.2.2规定的最大值。

表3.2.2 单芯和多芯电缆用铜包铝导体

标称截面 （mm²）	20℃时导体最大电阻 （Ω/km）	标称截面 （mm²）	20℃时导体最大电阻 （Ω/km）
16	1.74	150	0.173
25	1.10	185	0.141
35	0.765	240	0.102
50	0.539	300	0.0843
70	0.386	400	0.0653
95	0.284	500	0.0511
120	0.220	630	0.0399

3.2.3 铜包铝电力电缆的绝缘应采用挤包成型聚氯乙烯或交联聚乙烯材料，并应符合国家标准《额定电压1kV（$U_m=1.2kV$）到35kV（$U_m=40.5kV$）挤包绝缘电力电缆及附件 第1部分：额定电压1kV（$U_m=1.2kV$）和3kV（$U_m=3.6kV$）电缆》GB/T 12706.1—2008中第6.2节、第16.5.2条及表23的规定。

3.2.4 铜包铝电力电缆的缆芯、内衬层、填充物及金属层应符合国家标准《额定电压1kV（$U_m=1.2kV$）到35kV（$U_m=40.5kV$）挤包绝缘电力电缆及附件 第1部分：额定电压1kV（$U_m=1.2kV$）和3kV（$U_m=3.6kV$）电缆》GB/T 12706.1—2008中第7章和第8章的规定。

3.2.5 铜包铝电力电缆铠装层应采用双镀锌钢带铠装或镀锌钢带联锁铠装，镀锌钢带厚度应符合国家标准《额定电压1kV（$U_m=1.2kV$）到35kV（$U_m=40.5kV$）挤包绝缘电力电缆及附件 第1部分：额定电压1kV（$U_m=1.2kV$）和3kV（$U_m=3.6kV$）电缆》GB/T 12706.1—2008中第12.5、12.7条的规定；镀锌钢带技术条件应符合国家标准《电缆外护层 第1部分：总则》GB/T 2952.1—2008中第6.4节的规定。

3.2.6 铜包铝电力电缆外护套应采用聚氯乙烯或无卤阻燃材料。外护套的材料、性能及厚度应符合国家标准《额定电压 1kV(U_m＝1.2kV)到 35kV(U_m＝40.5kV)挤包绝缘电力电缆及附件 第 1 部分:额定电压 1kV(U_m＝1.2kV)和 3kV(U_m＝3.6kV)电缆》GB/T 12706.1—2008 中第 13.1～13.3 节及第 16.5.3 条的规定。

3.2.7 铜包铝电力电缆的阻燃、低烟和无卤性能应符合国家标准《额定电压 1kV(U_m＝1.2kV)到 35kV(U_m＝40.5kV)挤包绝缘电力电缆及附件 第 1 部分:额定电压 1kV(U_m＝1.2kV)和 3kV(U_m＝3.6kV)电缆》GB/T 12706.1—2008 中第 18 章的规定和现行国家标准《阻燃和耐火电线电缆通则》GB/T 19666 的有关规定。

3.2.8 铜包铝电力电缆检验类别、检验项目和检验方法应符合下列规定:

1 导体电阻和电压试验的例行检验应符合国家标准《额定电压 1kV(U_m＝1.2kV)到 35kV(U_m＝40.5kV)挤包绝缘电力电缆及附件 第 1 部分:额定电压 1kV(U_m＝1.2kV)和 3kV(U_m＝3.6kV)电缆》GB/T 12706.1—2008 中第 15.2、15.3 节的规定;

2 抽样检验项目及检验方法应符合国家标准《额定电压 1kV(U_m＝1.2kV)到 35kV(U_m＝40.5kV)挤包绝缘电力电缆及附件 第 1 部分:额定电压 1kV(U_m＝1.2kV)和 3kV(U_m＝3.6kV)电缆》GB/T 12706.1—2008 中第 16 章的相关规定;

3 电气型式试验和非电气型式试验应分别符合国家标准《额定电压 1kV(U_m＝1.2kV)到 35kV(U_m＝40.5kV)挤包绝缘电力电缆及附件 第 1 部分:额定电压 1kV(U_m＝1.2kV)和 3kV(U_m＝3.6kV)电缆》GB/T 12706.1—2008 中第 17 章和第 18 章的有关规定;

4 铜包铝电力电缆试制完成、定型验收时,应符合现行国家标准《额定电压 35kV(U_m＝40.5kV)及以下电力电缆导体用压接式和机械式连接金具 试验方法和要求》GB/T 9327 的有关规定。铜包铝电缆导体与连接附件(金具)的电气连接适应性能应进行1000次热循环试验验证。

3.3 电力电缆附件

3.3.1 铜包铝电力电缆导体末端或中间的连接,连接金具应采用表3.3.1中要求的规格。

表3.3.1 电缆导体对应连接金具

导体规格 (mm²)	连接金具型号及规格	
	铜质连接端子	铜质连接器
16	DTM-16-8	GT-16
25	DTM-25-8	GT-25
35	DTM-35-10	GT-35
50	DTM-50-10	GT-50
70	DTM-70-12	GT-70
95	DTM-95-12	GT-95
120	DTM-120-14	GT-120
150	DTM-185-16	GT-185
185	DTM-240-16	GT-240
240	DTM-300-20	GT-300
300	DTM-400-20	GT-400
400※	DTM-500	GT-500

注:※表示螺栓直径和数量由供需双方商定。

3.3.2 连接金具与电缆导体压接后的电气、机械性能应符合国家标准《电力电缆导体用压接型铜、铝接线端子和连接管》GB/T 14315—2008中第5.4节的规定。

4 工程设计

4.1 一般规定

4.1.1 铜包铝电力电缆使用场所除现行国家标准《电力工程电缆设计规范》GB 50217 中规定的控制电缆和确定应选用铜导体的情况外可选用。

4.1.2 电缆运行敷设环境条件应符合下列规定：

 1 空气中：30℃；

 2 直埋土壤中：20℃；

 3 地下管道中：20℃；

 4 埋地敷设时土壤热阻系数按 2.5K·m/W。

 5 当敷设环境温度与上述规定不同时，应乘以校正系数，校正系数符合国家标准《建筑电气装置 第 5 部分：电气设备的选择和安装第 523 节：布线系统载流量》GB 16895.15—2002 中表 52-D1、表 52-D2 和表 52-D3 的规定。

4.1.3 多回路或电缆成束敷设的降低系数应符合国家标准《建筑电气装置 第 5 部分：电气设备的选择和安装 第 523 节：布线系统载流量》GB 16895.15—2002 表 52 中 E1、E2、E3、E4 和 E5 的规定。

4.1.4 并联使用的铜包铝电力电缆，其长度、型号、规格和敷设方式均应相同。

4.1.5 铜包铝电力电缆保护管内径不应小于电缆包络外径的 1.5 倍。铜包铝电缆近似外径应符合本规范附录 A 的规定。

4.1.6 铜包铝电力电缆附件的选择与配置应符合现行国家标准《电力工程电缆设计规范》GB 50217—2007 中第 4.1 节的有关规定。

4.2 电缆绝缘和护层类型选择

4.2.1 铜包铝电力电缆绝缘类型的选择除移动式电气设备、放射线作用场所、60℃以上的高温场所、-15℃以下的低温环境和人员密集的公共场所外，可选用聚氯乙烯绝缘聚氯乙烯护套和交联聚乙烯绝缘铜包铝电力电缆。

4.2.2 在人员密集的公共场所，以及有低毒阻燃性防火要求的场所，铜包铝电力电缆的绝缘和护层应选用无卤低烟阻燃型。

4.2.3 铜包铝电力电缆宜选用钢带联锁铠装聚氯乙烯护套或钢带联锁铠装交联聚乙烯护套。

4.2.4 铜包铝电力电缆护层的选择应符合下列规定：

1 交流系统单芯电力电缆，当需要增强电缆抗外力时，应选用非磁性金属铠装层，不得选用未经非磁性有效处理的钢制铠装；

2 在潮湿、含化学腐蚀环境或易受水浸泡场所的电缆，其金属层、加强层、铠装上应有聚乙烯外护层，水中电缆的粗钢丝铠装应有挤塑外护层；

3 在人员密集的公共设施，以及有低毒阻燃性防火要求时的场所，可选用聚乙烯等不含卤素的外护层；不宜选用聚氯乙烯外护层。

4.2.5 直埋敷设时铜包铝电力电缆护层的选择应符合下列规定：

1 电缆承受较大压力或有机械损伤危险时，应具有加强层或钢带铠装；

2 在流砂层、回填土地带等可能出现位移的土壤中，电缆应具有钢丝铠装；

3 白蚁严重危害地区用的挤塑铜包铝电缆，应选用较高硬度的外护层，也可在普通外护层上挤包较高硬度的薄外护层，其材质可采用尼龙或特种聚烯烃共聚物等，也可采用金属套或钢带铠装；

4 地下水位较高的地区应选用聚乙烯外护层；

5 除本条第1款～第4款的情况外，可选用不含铠装的外护层。

4.2.6 空气中固定敷设时铜包铝电力电缆护层的选择应符合下列规定：

1 小截面挤塑绝缘电缆直接在壁式支架上敷设时，宜具有钢带铠装；

2 在地下客运、商业设施等安全性要求高且鼠害严重的场所，塑料绝缘电缆应具有金属包带或钢带铠装；

3 铜包铝电力电缆位于高落差的受力条件时，多芯电缆应具有钢丝铠装，交流单芯电缆应符合本规范第4.2.4条中第1款的规定；

4 敷设在电缆桥架等支承较密集的铜包铝电缆，可不含铠装；

5 需要与环境保护相协调时，不得采用聚氯乙烯外护层；

6 除应按本规范第4.2.2条和第4.2.4条中第2款的规定，以及60℃以上高温场所应选用聚乙烯等耐热外护层的电缆外，其他宜选用聚氯乙烯外护层。

4.2.7 保护管中敷设的电缆，应具有挤塑外护层。

4.2.8 铜包铝电力电缆敷设路径通过不同敷设条件时电缆护层的选择应符合下列规定：

1 线路总长未超过铜包铝电缆制造长度时，宜选用满足全线条件的同一种或差别尽量小的一种以上型式；

2 线路总长超过铜包铝电力电缆制造长度时，可按相应区段分别选用适合的不同型式。

4.3 电缆芯数的选择

4.3.1 铜包铝电力电缆线芯分下列几种：

1 2芯(L+N、2L)；

2 3芯(3L、L+N+PE、2L+PE)；

3 (3+1)芯(3L+N、3L+PE)；

4 4芯(3L+N、3L+PE)；

 5 （4+1）芯(3L+N+PE)；
 6 （3+2）芯(3L+N+PE)；
 7 5芯(3L+N+PE)。

4.3.2 1kV及以下电源中性点直接接地时，三相回路铜包铝电力电缆芯数的选择，应符合下列规定：

 1 保护线与受电设备的外露可导电部位连接接地时，应符合下列规定：

  1）保护线与中性线合用同一导体时，应选用四芯铜包铝电力电缆；

  2）保护线与中性线各自独立时，宜选用五芯电缆。

 2 受电设备外露可导电部位的接地与电源系统接地各自独立时，应选用四芯铜包铝电力电缆。

4.3.3 1kV及以下电源中性点直接接地时，单相回路电缆芯数的选择，应符合下列规定：

 1 保护线与受电设备的外露可导电部位连接接地时，应符合下列规定：

  1）保护线与中性线合用同一导体时，应选用两芯铜包铝电力电缆；

  2）保护线与中性线各自独立时，宜选用三芯铜包铝电力电缆。

 2 受电设备外露可导电部位的接地与电源系统接地各自独立时，应选用两芯铜包铝电力电缆。

4.4 电缆导体截面的选择

4.4.1 铜包铝电力电缆导体截面的选择应符合下列规定：

 1 最大工作电流作用下的铜包铝电力电缆导体温度，不得超过铜包铝电力电缆使用寿命的允许值。持续工作回路的铜包铝电力电缆导体工作温度，应符合本规范第3.2.1条第2款的规定。

 2 短路最长持续5s运行时的铜包铝电力电缆导体允许温

度，应符合本规范第 3.2.1 条第 3 款的规定。

3 最大工作电流作用下连接回路的铜包铝电力电缆电压损失，不应超过该回路允许值。铜包铝电力电缆线路的电压损失应符合本规范附录 B 的规定。

4 铜包铝电力电缆导体最小截面不应小于 $16mm^2$。

5 铜包铝电力电缆按 100% 持续工作电流确定导体允许最小截面。

6 不同使用环境和敷设条件下，计入校正系数后，铜包铝电力电缆载流量的实际允许值应大于回路的工作电流。铜包铝电力电缆载流量应符合本规范附录 C 的规定；使用环境和敷设条件应符合本规范第 4.1.2 条的规定。

7 当使用环境和敷设条件发生改变时，铜包铝电力电缆的载流量应考虑相应的校正系数。校正系数应符合国家标准《建筑物电气装置 第 5 部分：电气设备的选择和安装 第 523 节：布线系统载流量》GB 16895.15—2002 表 52-D1~D3 和表 52-E1~E5 的规定。

8 铜包铝电力电缆持续允许载流量的环境温度，应符合国家标准《电力工程电缆设计规范》GB 50217—2007 第 3.7.5 条的规定。

9 铜包铝导体的体积热容量、20℃时的电阻率和电阻温度系数应符合表 4.4.1 的规定。

表 4.4.1 铜包铝导体体积热容量、20℃时电阻率和电阻温度系数

导体类别	体积热容量 [J/(cm³·℃)]	最大电阻率 (Ω·mm²/m)	电阻温度系数 (1/℃)
15A	2.58	0.02676	0.004049

4.4.2 铜包铝电力电缆导体的热稳定校验应符合国家标准《低压配电设计规范》GB 50054—2011 中第 6.2.3 条的规定。

5 施 工 安 装

5.1 一 般 规 定

5.1.1 铜包铝电力电缆接头位置应避开交叉路口、建筑物出入口、与其他管线交叉处或通道狭窄处。

5.1.2 铜包铝电力电缆标志牌应符合下列规定：

1 厂房及变电站内应在电缆终端头、接头处装设标志牌；

2 室外电缆线路应在电缆终端及接头、电缆管的两端、人孔及工作井处、电缆隧道内转弯处、支持处和支线段每隔 50m～100m 处装设标志牌；

3 标志牌上应注明线路编号，当无编号时，应注明铜包铝电缆的型号、规格及起讫地点。并联使用的电缆应有顺序号；

4 标志牌规格宜统一，应能防腐，挂装牢固；

5 铜包铝电力电缆敷设时应排列整齐加以固定，不宜交叉并装设标志牌。

5.1.3 铜包铝电力电缆支（桥）架采用钢制材料，应采取热镀锌防腐。

5.1.4 铜包铝电力电缆敷设时，不应损坏电缆沟道、电缆井及工作井的防水层。

5.1.5 铜包铝电力电缆导体可与其他导体类型电缆在同一通道内敷设。

5.1.6 铜包铝电力电缆在同一层支架上敷设时，相互间应留有安装空隙。

5.1.7 铜包铝电力电缆与各种管道及构筑物之间的距离应符合国家标准《电力工程电缆设计规范》GB 50217—2007 中表 5.1.7 和表 5.3.5 的规定。

5.1.8 用于下列场所、部位的非铠装铜包铝电缆,应采用具有机械强度的管或罩加以保护:

 1 非电气人员经常活动场所的地坪以上 2m 内、地中引出的地坪以下 0.3m 深电缆区段;

 2 可能有载重设备碾压电缆上面的区段。

5.1.9 电缆的计算长度和订货长度,应留有裕量,并应符合国家标准《电力工程电缆设计规范》GB 50217—2007 第 5.1.17、5.1.18条的规定。

5.1.10 电缆线芯连接金具应选用符合国家标准《电力电缆导体用压接型铜、铝接线端子和连接管》GB/T 14315—2008 规定的 DTM 型密封式铜接线端子和 GT 型铜连接管,其内径应与电缆芯线匹配。

5.2 电缆敷设

5.2.1 铜包铝电力电缆敷设前应检查电缆外观不得有机械损伤。

5.2.2 铜包铝电力电缆的敷设应符合现行国家标准《电力工程电缆设计规范》GB 50217 的有关规定。

5.2.3 明敷电缆支持点的垂直间距和水平间距应符合表 5.2.3 的规定。

表 5.2.3 明敷电缆支持点的垂直间距和水平间距 (mm)

电缆类型	敷设方式	
	水 平	垂 直
全塑型	400	1000
除全塑型外的电缆	800	1500

5.2.4 铜包铝电力电缆支架和桥架安装应符合国家标准《电力工程电缆设计规范》GB 50217—2007 中第 6.2 节的规定。

5.2.5 铜包铝电力电缆安装的防火阻燃处理应符合国家标准《电力工程电缆设计规范》GB 50217—2007 中第 7 章的规定。

5.3 电缆的接头和终端头

5.3.1 从剥切电缆开始至电缆接头、终端头制作过程应在采取措施避免污秽和潮气进入的环境中连续进行。

5.3.2 在进行电缆导体末端和中间连接施工时,严禁损伤导体表面铜层。当表面铜层出现轻微划痕,应用与导体相适应的速干防腐剂涂覆。

5.3.3 铜包铝电力电缆导体连接施工应符合下列规定:

    1 不应使用压接工具直接对导体表面施加压力,应通过专用压接工具对导体连接处金具表面施加均匀压力进行压接;

    2 电缆导体连接前,应将导体端面和表面清理干净,并用与导体相适应的速干防腐剂涂覆导体端面及周边,使导体铜铝双金属端面与空气隔离;

    3 电缆导体连接后,应用与导体相适应的速干树脂对导体末端或中间连接处进行封堵,并采用绝缘线芯用热缩塑料管将裸露部分导体进行密封。

5.3.4 铠装电缆的接头处,应将两端金属外护层进行有效搭接。

5.3.5 并列敷设的电缆接头,接头位置应错开;明敷设的接头应用防火托板托置,在接头 2m～3m 内,沿电缆并行敷设的其他电缆在同一长度范围内,应用防火涂料、防火包带做阻燃处理;直埋电缆接头盒的金属外壳及电缆的金属护层应做防腐处理。

6 验　　收

6.0.1 铜包铝电力电缆敷设施工安装工程验收时，应提交下列文件：

　　1 电缆线路路径协议文件；

　　2 工程竣工图和设计变更文件；

　　3 电缆制造厂提供的产品说明书、试验记录及合格证；

　　4 电缆敷设施工安装原始记录：

　　　　1）电缆型号、规格及实际敷设总长度和分段长度，电缆终端及中间接头的型式和安装日期；

　　　　2）电缆终端和中间接头安装使用的绝缘材料名称及型号。

　　5 电缆敷设施工安装工程记录：

　　　　1）隐蔽工程隐蔽前检查记录或签证；

　　　　2）质量检验及评定记录；

　　　　3）试验记录。

6.0.2 铜包铝电力电缆现场到货应按下列规定验收：

　　1 按批查验合格证，合格证应有生产许可证编号，产品应有安全认证标志；

　　2 电缆应整齐绕在符合现行行业标准《电线电缆交货盘　第1部分：一般规定》JB/T 8137.1规定的电缆盘上；

　　3 电缆的两端头应可靠密封，伸出盘外的端头应加保护罩；

　　4 电缆的型号、规格、长度等标志应齐全、正确清晰、包装完好无损；

　　5 按制造厂给出的标准，现场抽样检测绝缘层的厚度和圆形线芯的直径。对电缆的绝缘性能，导电性能和阻燃性能有异议时，应按批抽样送有关质量检测机构检测。

6.0.3 铜包铝电力电缆敷设工程安装验收应符合下列规定：

1 电缆型号、规格应符合设计要求，排列整齐，无损伤，标志齐全、正确、清晰；

2 电缆的固定、弯曲半径等应符合本规范的规定。相序排列应符合设计要求；

3 电缆线路接地点应与接地线接触良好，接地电阻值应符合设计要求；

4 电缆支架、桥架等金属部件防腐层应完好。保护导管管口封堵严密；

5 电缆沟内应无杂物、无积水，盖板齐全。电缆隧道内应无杂物，照明、通风、排水等设施应符合设计要求；

6 直埋电缆路径标志，应与实际路径相符，标志应清晰牢固；

7 防火阻燃措施应符合设计要求，施工质量合格。

6.0.4 隐蔽工程应在施工过程中进行中间验收，做好签认。

6.0.5 铜包铝电力电缆敷设施工安装工程验收应符合现行国家标准《电气装置安装工程 电缆线路施工及验收规范》GB 50168的有关规定。

附录 B 铜包铝电力电缆线路的电压损失

B.0.1 多芯交联聚乙烯绝缘铜包铝电缆三相380V电压损失应符合表B.0.1的规定。

表 B.0.1 多芯交联聚乙烯绝缘铜包铝电缆三相380V电压损失

导体截面 (mm²)	直流电阻 (Ω/km) 20℃	交流电阻 (Ω/km) 20℃	电抗 (Ω/km) 20℃	电压损失[%(km·A)] 功率因数 θ=90℃									
				0.50	0.60	0.70	0.80	0.85	0.90	0.95	1.00		
16	1.74	2.2272	0.0782	0.54	0.64	0.74	0.83	0.88	0.93	0.98	1.02		
25	1.10	1.4080	0.0798	0.35	0.41	0.48	0.54	0.56	0.59	0.62	0.64		
35	0.765	0.9792	0.0771	0.25	0.30	0.34	0.38	0.40	0.42	0.43	0.45		
50	0.539	0.6899	0.0761	0.19	0.22	0.24	0.27	0.29	0.30	0.31	0.31		
70	0.386	0.4941	0.0750	0.14	0.16	0.18	0.20	0.21	0.22	0.22	0.23		
95	0.284	0.3635	0.0738	0.11	0.13	0.14	0.15	0.16	0.16	0.17	0.17		
120	0.220	0.2816	0.0731	0.09	0.10	0.11	0.12	0.13	0.13	0.13	0.13		
150	0.173	0.2214	0.0733	0.08	0.09	0.09	0.10	0.10	0.11	0.11	0.10		
185	0.141	0.1805	0.0738	0.07	0.08	0.08	0.09	0.09	0.09	0.09	0.08		
240	0.102	0.1306	0.0726	0.06	0.06	0.07	0.07	0.07	0.07	0.07	0.06		
300	0.0843	0.1079	0.0317	0.04	0.04	0.04	0.05	0.05	0.05	0.05	0.05		
400	0.0653	0.0836	0.0321	0.03	0.03	0.04	0.04	0.04	0.04	0.04	0.04		

B.0.2 三芯交联聚乙烯绝缘铜包铝电缆三相 380V 电压损失应符合表 B.0.2 的规定。

表 B.0.2 三芯交联聚乙烯绝缘铜包铝电缆三相 380V 电压损失

导体截面 (mm²)	直流电阻 (Ω/km) 20℃	交流电阻 (Ω/km)	电抗 (Ω/km) 20℃	电压损失[%/(km·A)] $\theta=90℃$ 功率因数								
				0.50	0.60	0.70	0.80	0.85	0.90	0.95	1.00
16	1.74	2.2272	0.0781	0.62	0.74	0.85	0.96	1.02	1.07	1.13	1.17
25	1.10	1.4080	0.0802	0.41	0.48	0.55	0.62	0.65	0.69	0.72	0.74
35	0.765	0.9792	0.0769	0.29	0.34	0.39	0.44	0.46	0.48	0.50	0.52
50	0.539	0.6899	0.0758	0.22	0.25	0.28	0.31	0.33	0.34	0.36	0.36
70	0.386	0.4941	0.0753	0.16	0.19	0.21	0.23	0.24	0.25	0.26	0.26
95	0.284	0.3635	0.0734	0.13	0.15	0.16	0.18	0.18	0.19	0.19	0.19
120	0.220	0.2816	0.0732	0.11	0.12	0.13	0.14	0.15	0.15	0.15	0.15
150	0.173	0.2214	0.0733	0.09	0.10	0.11	0.12	0.12	0.12	0.12	0.12
185	0.141	0.1805	0.0736	0.08	0.09	0.09	0.10	0.10	0.10	0.10	0.09
240	0.102	0.1306	0.0726	0.07	0.07	0.08	0.08	0.08	0.08	0.08	0.07
300	0.0843	0.1079	0.0041	0.03	0.04	0.04	0.05	0.05	0.05	0.05	0.06

B.0.3 单芯交联聚乙烯绝缘铜包铝电缆三相380V电压损失应符合表B.0.3的规定。

表 B.0.3 单芯交联聚乙烯绝缘铜包铝电缆三相380V电压损失

导体截面 (mm²)	直流电阻 (Ω/km) 20℃	交流电阻 (Ω/km) 20℃	电抗 (Ω/km) 20℃	电压损失[%/(km·A)] $\theta=90$℃											
				三角形排列				紧靠并排排列				有间隔排列			
				功率因数											
				0.70	0.80	0.90	1.00	0.70	0.80	0.90	1.00	0.70	0.80	0.90	1.00
16	1.74	2.2272	0.1016	0.74	0.84	0.93	1.02	0.74	0.84	0.93	1.02	0.76	0.85	0.94	1.02
25	1.10	1.4080	0.0972	0.48	0.54	0.60	0.64	0.48	0.54	0.60	0.64	0.50	0.55	0.61	0.64
35	0.765	0.9792	0.0923	0.34	0.38	0.42	0.45	0.34	0.38	0.42	0.45	0.36	0.39	0.43	0.45
50	0.539	0.6899	0.0886	0.25	0.28	0.30	0.31	0.25	0.28	0.30	0.31	0.26	0.29	0.31	0.31
70	0.386	0.4941	0.0856	0.19	0.20	0.22	0.23	0.19	0.20	0.22	0.23	0.20	0.22	0.23	0.23
95	0.284	0.3635	0.0831	0.14	0.16	0.17	0.17	0.14	0.16	0.17	0.17	0.16	0.17	0.17	0.17
120	0.220	0.2816	0.0806	0.12	0.12	0.13	0.13	0.12	0.12	0.13	0.13	0.13	0.14	0.14	0.13
150	0.173	0.2214	0.0797	0.10	0.10	0.11	0.10	0.10	0.10	0.11	0.10	0.11	0.11	0.12	0.10
185	0.141	0.1805	0.0790	0.08	0.09	0.09	0.08	0.08	0.09	0.09	0.08	0.10	0.10	0.10	0.08
240	0.102	0.1306	0.0772	0.07	0.07	0.07	0.06	0.07	0.07	0.07	0.06	0.08	0.08	0.08	0.06
300	0.1079	0.1079	0.0790	0.06	0.06	0.06	0.05	0.06	0.06	0.06	0.05	0.07	0.07	0.07	0.05
400	0.0843	0.0836	0.0780	0.05	0.05	0.05	0.04	0.05	0.05	0.05	0.04	0.07	0.06	0.06	0.04
500	0.0653	0.0654	0.0751	0.05	0.04	0.04	0.03	0.05	0.04	0.04	0.03	0.06	0.06	0.05	0.03
630	0.0511	0.0511	0.0746	0.04	0.04	0.04	0.02	0.04	0.04	0.04	0.02	0.05	0.05	0.04	0.02

注：同隔敷设电缆中心距离为电缆外径的2倍。

B.0.4 多芯聚氯乙烯绝缘铜包铝电缆三相380V电压损失应符合表B.0.4的规定。

表 B.0.4 多芯聚氯乙烯绝缘铜包铝电缆三相380V电压损失

导体截面 (mm²)	直流电阻 (Ω/km) 20℃	交流电阻 (Ω/km)	电抗 (Ω/km) 20℃	电压损失[%/(km·A)] 功率因数 $\theta=70$℃									
				0.50	0.60	0.70	0.80	0.85	0.90	0.95	1.00		
16	1.74	2.0880	0.0974	0.51	0.61	0.70	0.79	0.83	0.88	0.92	0.95		
25	1.10	1.3200	0.0859	0.33	0.39	0.45	0.50	0.53	0.56	0.58	0.60		
35	0.765	0.9180	0.0470	0.23	0.27	0.31	0.35	0.37	0.39	0.40	0.42		
50	0.539	0.6468	0.0448	0.17	0.19	0.22	0.25	0.26	0.27	0.29	0.29		
70	0.386	0.4632	0.0427	0.12	0.14	0.16	0.18	0.19	0.20	0.21	0.21		
95	0.284	0.3408	0.0443	0.10	0.11	0.12	0.14	0.14	0.15	0.15	0.16		
120	0.220	0.2640	0.0399	0.08	0.09	0.10	0.11	0.11	0.12	0.12	0.12		
150	0.173	0.2076	0.0393	0.06	0.07	0.08	0.09	0.09	0.09	0.10	0.09		
185	0.141	0.1692	0.0408	0.05	0.06	0.07	0.07	0.08	0.08	0.08	0.08		
240	0.102	0.1224	0.0393	0.04	0.05	0.05	0.06	0.06	0.06	0.06	0.06		
300	0.0843	0.1012	0.0383	0.04	0.04	0.04	0.04	0.04	0.05	0.05	0.05		
400	0.0653	0.0784	0.0330	0.03	0.03	0.04	0.04	0.04	0.04	0.04	0.04		

B.0.5 三芯聚氯乙烯绝缘铜包铝电缆三相380V电压损失应符合表B.0.5的规定。

表 B.0.5 三芯聚氯乙烯绝缘铜包铝电缆三相380V电压损失

导体截面 (mm²)	直流电阻 (Ω/km) 20℃	交流电阻 (Ω/km)	电抗 (Ω/km) 20℃	电压损失[%/(km·A)] 功率因数 θ=70℃									
				0.50	0.60	0.70	0.80	0.85	0.90	0.95	1.00		
16	1.74	2.0880	0.0880	0.59	0.70	0.80	0.91	0.96	1.01	1.06	1.10		
25	1.10	1.3200	0.0265	0.36	0.43	0.50	0.56	0.60	0.63	0.66	0.69		
35	0.765	0.9180	0.0237	0.25	0.30	0.35	0.39	0.42	0.44	0.46	0.48		
50	0.539	0.6468	0.0206	0.18	0.21	0.25	0.28	0.30	0.31	0.33	0.34		
70	0.386	0.4632	0.0184	0.13	0.15	0.18	0.20	0.21	0.22	0.23	0.24		
95	0.284	0.3408	0.0189	0.10	0.12	0.13	0.15	0.16	0.17	0.17	0.18		
120	0.220	0.2640	0.0132	0.08	0.09	0.10	0.12	0.12	0.13	0.13	0.14		
150	0.173	0.2076	0.0134	0.06	0.07	0.08	0.09	0.10	0.10	0.11	0.11		
185	0.141	0.1692	0.0154	0.05	0.06	0.07	0.08	0.08	0.08	0.09	0.09		
240	0.102	0.1224	0.0134	0.04	0.04	0.05	0.06	0.06	0.06	0.06	0.06		
300	0.0843	0.1012	0.0122	0.03	0.04	0.04	0.05	0.05	0.05	0.05	0.05		

B.0.6 单芯聚氯乙烯绝缘铜包铝电缆三相380V电压损失应符合表B.0.6的规定。

表 B.0.6 单芯聚氯乙烯绝缘铜包铝电缆三相380V电压损失

导体截面 (mm²)	直流电阻 (Ω/km) 20℃	交流电阻 (Ω/km) 20℃	电抗 (Ω/km) 20℃	电压损失[%/(km·A)] θ=70℃																	
				三角形排列						紧靠并排排列						有间隔排列					
				\功率因数																	
				0.70	0.80	0.90	1.00	0.70	0.80	0.90	1.00	0.70	0.80	0.90	1.00						

导体截面 (mm²)	直流电阻 (Ω/km) 20℃	交流电阻 (Ω/km) 20℃	电抗 (Ω/km) 20℃	三角形排列 0.70	0.80	0.90	1.00	紧靠并排排列 0.70	0.80	0.90	1.00	有间隔排列 0.70	0.80	0.90	1.00
16	1.74	2.0880	0.1053	0.70	0.79	0.88	0.95	0.70	0.79	0.88	0.95	0.71	0.80	0.89	0.95
25	1.10	1.3200	0.1002	0.45	0.51	0.56	0.60	0.45	0.51	0.56	0.60	0.47	0.52	0.57	0.60
35	0.765	0.9180	0.0951	0.32	0.36	0.40	0.42	0.32	0.36	0.40	0.42	0.34	0.37	0.40	0.42
50	0.539	0.6468	0.0918	0.24	0.26	0.28	0.29	0.24	0.26	0.28	0.29	0.25	0.27	0.29	0.29
70	0.386	0.4632	0.0878	0.18	0.19	0.21	0.21	0.18	0.19	0.21	0.21	0.19	0.20	0.22	0.21
95	0.284	0.3408	0.0859	0.14	0.15	0.16	0.16	0.14	0.15	0.16	0.16	0.15	0.16	0.17	0.16
120	0.220	0.2640	0.0831	0.11	0.12	0.12	0.12	0.11	0.12	0.12	0.12	0.13	0.13	0.13	0.12
150	0.173	0.2076	0.0819	0.09	0.10	0.10	0.09	0.09	0.10	0.10	0.09	0.11	0.11	0.11	0.09
185	0.141	0.1692	0.0809	0.08	0.08	0.09	0.08	0.08	0.08	0.09	0.08	0.09	0.10	0.09	0.08
240	0.102	0.1224	0.0794	0.06	0.07	0.07	0.06	0.06	0.07	0.07	0.06	0.08	0.08	0.07	0.06
300	0.0843	0.1012	0.0790	0.06	0.06	0.06	0.05	0.06	0.06	0.06	0.05	0.07	0.07	0.07	0.05
400	0.0653	0.0784	0.0780	0.05	0.05	0.05	0.04	0.05	0.05	0.05	0.04	0.06	0.06	0.06	0.04
500	0.0511	0.0613	0.0773	0.04	0.04	0.04	0.03	0.04	0.04	0.04	0.03	0.06	0.06	0.05	0.03
630	0.0399	0.0479	0.0757	0.04	0.04	0.03	0.02	0.04	0.04	0.03	0.02	0.05	0.05	0.04	0.02

注：同间隔敷设电缆中心距离为电缆外径的2倍。

附录 C 敷设条件不同时铜包铝电力电缆允许持续载流量及校正系数

C.0.1 单回路铜包铝电力电缆的敷设方式可按表 C.0.1 选用。

表 C.0.1 单回路铜包铝电力电缆参考敷设方式

敷设方式代码	说　明	示　意　图
A1	单芯电缆穿管后敷设于墙壁内部	
A2	多芯电缆穿管后敷设于墙壁内部	
B1	单芯电缆穿管后置于墙上管道上	
B2	多芯电缆穿管后置于墙壁表面上	
C	电缆置于木质墙表面上空气中	

续表 C.0.1

敷设方式代码	说　明	示　意　图
D	单芯、多芯电缆穿管或直埋敷设于土壤中	
E	多芯电缆单根敷设于自由空气中	
F	单芯电缆接触排列敷设于自由空气中	$s \geq De$
G	单芯电缆分离排列敷设于自由空气中	

注：1　字母为 IEC 60364-5-52 标准约定代码。未指明单芯或多芯电缆意指两者均可适用；
　　2　根据美国消防协会标准 NFPA 70-2011，铜包铝电力电缆载流量等同与铝电缆载流量的原则，此附录中铜包铝电力电缆载流量等同引用 GB 16895.15—2002 中铝电缆载流量表中数据。

C.0.2 铜包铝电力电缆的载流量可按表 C.0.2-1～表 C.0.2-6 确定。

表C.0.2-1 铜包铝导体交联聚乙烯绝缘聚氯乙烯护套电缆载流量
（墙壁内和其表面管道中，电缆土壤直埋或土壤管道中等）

工作温度	90℃					
环境温度	30℃					20℃
额定电压	0.6/1kV		型号		YJCV/YJCV22	
敷设方式 媒质	绝热墙壁内管道中		绝热墙壁面管道中		木板墙壁	土壤管道中
敷设方式 示意图						
IEC	A1	A2	B1	B2	C	D
截面(mm²)	单回路载流量（A）（单相系统）					
16	64	60	79	72	84	73
25	84	78	105	94	101	93
35	103	96	130	115	126	112
50	125	115	157	138	154	132
70	158	145	200	175	198	163
95	191	175	242	210	241	193
120	220	201	281	242	280	220
150	253	230	—	—	324	249
185	288	262	—	—	371	279
240	338	307	—	—	439	322
300	387	352	—	—	508	364
400	—	—	—	—	—	—

表 C.0.2-2 铜包铝导体交联聚乙烯绝缘聚氯乙烯护套电缆载流量
（墙壁内和其表面管道中，电缆土壤直埋或土壤管道中等）

工作温度			90℃			
环境温度			30℃			20℃
额定电压			0.6/1kV	型号	YJCV	YJCV22
敷设方式	媒质	绝热墙壁内管道中	绝热墙壁面管道中		木板墙壁	土壤管道中
	示意图					
	IEC	A1	A2	B1	B2	C	D
截面（mm²）		载流量（A）（三相负荷）					
16		58	55	71	64	76	61
25		76	71	93	84	90	78
35		94	87	116	103	112	94
50		113	104	140	124	136	112
70		142	131	179	156	174	138
95		171	157	217	188	211	164
120		197	180	251	216	245	186
150		226	206	—	—	283	210
185		256	233	—	—	323	236
240		300	273	—	—	382	272
300		344	313	—	—	440	308
400		—	—	—	—	—	—

表C.0.2-3 铜包铝导体交联聚乙烯绝缘聚氯乙烯护套电缆载流量（空气中敷设）

工作温度	90℃						
环境温度	30℃						
额定电压	0.6/1kV			型号		YJCV	
芯数	二芯	三芯	单芯				
排列方式示意图	s≥0.3De	s≥0.3De	s≥De		s≥De	s≥De	s≥De
IEC	E	E	F	F	F	G	G
截面（mm²）	空气中敷设单回路载流量（A）（单相和三相系统）						
16	91	77	—	—	—	—	—
25	108	97	121	103	107	138	122
35	135	120	150	129	135	172	153
50	164	146	184	159	165	210	188
70	211	187	237	206	215	271	244
95	257	227	289	253	264	332	300
120	300	263	337	296	308	387	351
150	346	304	389	343	358	448	408
185	397	347	447	395	413	515	470
240	470	409	530	471	492	611	561
300	543	471	613	547	571	708	652
400	—	—	740	663	694	856	792
500	—	—	856	770	806	991	921
630	—	—	996	899	942	1154	1077

表C.0.2-4 铜包铝导体聚氯乙烯绝缘聚氯乙烯护套电缆载流量
（墙壁内和其表面管道中,电缆土壤直埋或土壤管道中等）

工作温度		70℃				
环境温度		30℃				20℃
额定电压		0.6/1kV		型号	VCV	YJCV22
敷设方式	媒质	绝热墙壁内管道中		绝热墙壁面管道中		木板墙壁	土壤管道中
	示意图						
	IEC	A1	A2	B1	B2	C	D
截面 (mm²)	单回路载流量（A）（单相系统）						
16	48	44	60	54	66	62
25	63	58	79	71	83	80
35	77	71	97	86	103	96
50	93	86	118	104	125	113
70	118	108	150	131	160	140
95	142	130	181	157	195	166
120	164	150	210	181	226	189
150	189	172	—	—	261	213
185	215	195	—	—	298	240
240	252	229	—	—	352	277
300	289	263	—	—	406	313
400	—	—	—	—	—	—

表 C.0.2-5 铜包铝导体聚氯乙烯绝缘聚氯乙烯护套电缆载流量
（墙壁内和其表面管道中,电缆土壤直埋或土壤管道中等）

工作温度	70℃					
环境温度	30℃					20℃
额定电压	0.6/1kV		型号		VCV	YJCV22
敷设方式 媒质	绝热墙壁内管道中		绝热墙壁面管道中		木板墙壁	土壤管道中
示意图						
IEC	A1	A2	B1	B2	C	D
截面 (mm²)	载流量（A）（三相负荷）					
16	43	41	53	48	59	52
25	57	53	70	62	73	66
35	70	65	86	77	90	80
50	84	78	104	92	110	94
70	107	98	133	116	140	117
95	129	118	161	139	170	138
120	149	135	186	160	197	157
150	170	155	—	—	227	178
185	194	176	—	—	259	200
240	227	207	—	—	305	230
300	261	237	—	—	351	260
400						

· 31 ·

表 C.0.2-6 铜包铝导体聚氯乙烯绝缘聚氯乙烯护套电缆载流量
（空气中敷设）

工作温度	70℃						
环境温度	30℃						
额定电压	0.6/1kV		型号		VCV		
芯数	二芯	三芯	单芯				
排列方式 示意图	$s \geq 0.3De$	$s \geq 0.3De$		$s \geq De$		$s \geq De$	$s \geq De$
IEC	E	E	F	F	F	G	G
截面 (mm²)	空气中敷设载流量(A)（单相和三相系统）						
16	73	61	—	—	—	—	—
25	89	78	98	84	87	112	99
35	111	96	122	105	109	139	124
50	135	117	149	128	133	169	152
70	173	150	192	166	173	217	196
95	210	183	235	203	212	265	241
120	244	212	273	237	247	308	282
150	282	245	316	274	287	356	327
185	322	280	363	35	330	407	376
240	380	330	430	375	392	482	447
300	439	381	497	434	455	557	519
400	—	—	600	526	552	671	629
500	—	—	694	610	640	775	730
630	—	—	808	711	746	900	852

本规范用词说明

1 为便于在执行本规范条文时区别对待,对要求严格程度不同的用词说明如下:

1) 表示很严格,非这样做不可的:
正面词采用"必须",反面词采用"严禁";

2) 表示严格,在正常情况下均应这样做的:
正面词采用"应",反面词采用"不应"或"不得";

3) 表示允许稍有选择,在条件许可时首先应这样做的:
正面词采用"宜",反面词采用"不宜";

4) 表示有选择,在一定条件下可以这样做的,采用"可"。

2 条文中指明应按其他有关标准执行的写法为:"应符合……的规定"或"应按……执行"。

引用标准名录

《低压配电设计规范》GB 50054—2011
《电气装置安装工程电缆线路施工及验收规范》GB 50168
《电力工程电缆设计规范》GB 50217—2007
《电缆外护层 第1部分:总则》GB/T 2952.1—2008
《额定电压 35kV(U_m=40.5kV)及以下电力电缆导体用压接式和机械式连接金具 试验方法和要求》GB/T 9327
《额定电压 1kV(U_m=1.2kV)到35kV(U_m=40.5kV)挤包绝缘电力电缆及附件 第1部分:额定电压 1kV(U_m=1.2kV)和3kV(U_m=3.6kV)电缆》GB/T 12706.1—2008
《电力电缆导体用压接型铜、铝接线端子和连接管》GB/T 14315—2008
《建筑物电气装置 第5部分:电气设备的选择和安装 第523节:布线系统载流量》GB/T 16895.15—2002
《阻燃和耐火电线电缆通则》GB/T 19666
《铜包铝线》GB/T 29197—2012
《电线电缆交货盘 第1部分:一般规定》JB/T 8137

中国工程建设协会标准

铜包铝电力电缆工程技术规范

CECS 399:2015

条文说明

目　　次

1 总　　则 …………………………………………………（39）
2 术　　语 …………………………………………………（40）
3 电力电缆及附件 …………………………………………（41）
　3.1 一般规定 ……………………………………………（41）
　3.2 技术要求 ……………………………………………（41）
　3.3 电力电缆附件 ………………………………………（41）
4 工程设计 …………………………………………………（42）
　4.1 一般规定 ……………………………………………（42）
　4.2 电力电缆绝缘和护层类型选择 ……………………（42）
　4.3 电力电缆芯数的选择 ………………………………（42）
　4.4 电力电缆导体截面的选择 …………………………（42）
5 施工安装 …………………………………………………（43）
　5.1 一般规定 ……………………………………………（43）
　5.2 电力电缆敷设 ………………………………………（43）
　5.3 电力电缆的接头和终端头 …………………………（43）
6 验　　收 …………………………………………………（44）

1 总 则

1.0.1 我国铜包铝电力电缆经过多年的发展,近万例工程应用,技术日趋成熟,但至今没有相关的国家标准或规范。为了规范该产品的技术要求、工程设计选用、施工验收特制定本规范。

1.0.2 条文明确了规范的适用范围。本规范将产品、工程设计和施工及验收等技术要求纳入同一标准,将有利于在工程建设中的采用。本规范中铜包铝电力电缆技术参数均不适用于直流系统。

1.0.3 条文对工程选用的铜包铝电力电缆及附件产品作出相关规定。

1.0.4 条文规定了在执行中除应符合本规范外,必须遵守国家现行有关标准的规定。

2 术 语

对本规范中出现的专业性术语加以界定,说明其定义,且包含术语的英文表示。

3 电力电缆及附件

3.1 一般规定

本节列出电缆型号、名称、标记编制的基本原则和型号包含的主要内容。以便对不同制造厂家的产品作统一规定。

3.2 技术要求

3.2.1 本条规定电缆产品的正常工作条件,环境温度在0℃以下安装时,建议采取加热措施。

3.2.2~3.2.7 产品是工程质量和安全的物质基础。为了确保工程质量安全可靠,电缆铜包铝线导体铜包覆层、电缆绝缘、铠装、外护套材料等必须符合上述条款要求。

3.2.8 产品例行检验属于产品的常规检验,由制造方在成品电缆的所有制造长度上进行的试验。产品抽样检验是由制造方按规定的频度,在成品电缆试样上或自成品电缆的某些部件上进行的试验。型式检验是按检验规则的要求,供货之前对产品质量的全面考核。

3.3 电力电缆附件

3.3.1 本条规定铜包铝导体的中间接头和终端头的连接金具使用规格。

3.3.2 本条规定中间接头和终端头制作完成后电气性能、机械性能的要求。

4 工程设计

4.1 一般规定

4.1.1～4.1.6 这几条规定了铜包铝电力电缆使用场所、电缆敷设环境温度、并联使用方式,以及近似外径和电压损失的参考值。

4.2 电力电缆绝缘和护层类型选择

4.2.1～4.2.8 这几条规定了工程设计中电缆绝缘和护层类型的选择原则。

4.3 电力电缆芯数的选择

4.3.1～4.3.3 这几条规定工程设计时,铜包铝电缆线芯种类和对电缆芯数选择的要求。

4.4 电力电缆导体截面的选择

4.4.1 对铜包铝电缆导体截面的选择所做的规定。

5 施工安装

5.1 一般规定

5.1.1～5.1.10 这几条是电缆施工中的基本方法和规定，应按规定正确实施，保证工程质量。

5.2 电力电缆敷设

5.2.1～5.2.5 为防止影响施工安装，保证工程质量，电缆敷设前应检查，针对不同敷设方式应按规定施工方法进行实施。

5.3 电力电缆的接头和终端头

5.3.1～5.3.5 电缆的接头与终端头制作完成一般是在电缆敷设就位后，在现场对电缆导体连接和绝缘进行处理并附加绝缘材料。施工现场的环境条件，直接影响处理效果，这方面的要求日趋严格，为保证工程质量，本条需对环境条件加以规定，对安装方法作具体的规定。

6 验 收

6.0.1 在电缆工程施工安装验收时,应查验相关的文件。电缆工程施工安装过程中的各项记录、文件非常重要,是质量控制的主要手段之一,工程验收时一定按本条规定认真检查。

6.0.2 本条是对现场到货电缆本体的质量检查。

6.0.3 本条是对电缆敷设工程验收检查的具体项目,应按规定认真检查。

6.0.4 为了保证电缆敷设工程的安装质量,验收中还应认真检查是否做好隐蔽工程的中间验收和各阶段的签认工作。

6.0.5 工程验收应符合国家施工及验收规范的规定。